Parramón

© 2008 Parramón Ediciones S.A.
Ronda de Sant Pere 5, 4ª planta
08010 Barcelona (España)
Empresa del Grupo Editorial Norma de América Latina

www.parramon.com

ISBN 978-84-342-3513-7

Barbie moda FASHION™

Ⓟ Parramón

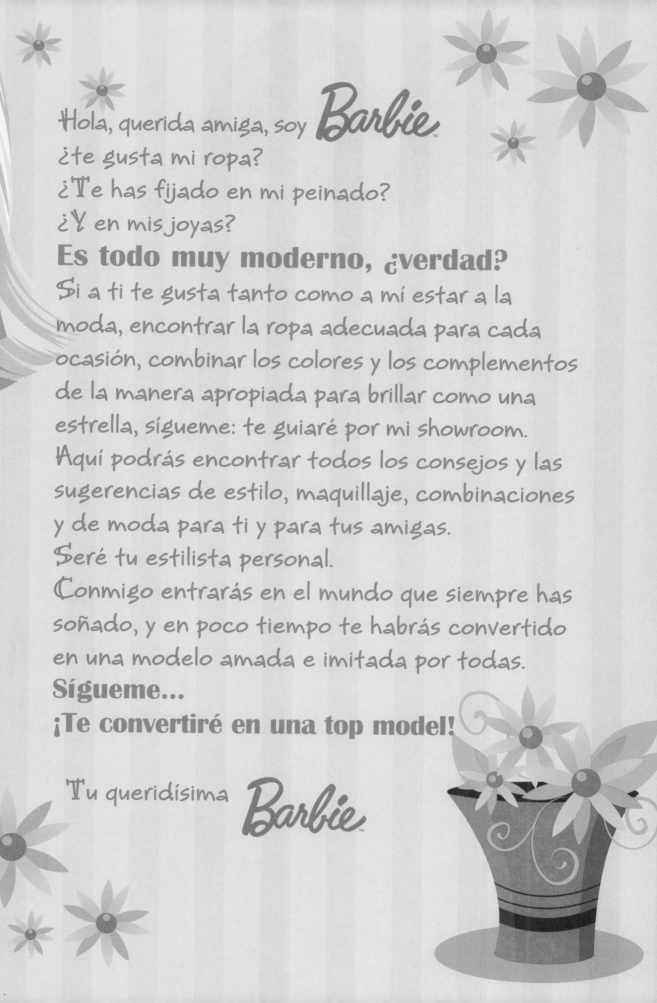

Hola, querida amiga, soy *Barbie*

¿te gusta mi ropa?

¿Te has fijado en mi peinado?

¿Y en mis joyas?

Es todo muy moderno, ¿verdad?

Si a ti te gusta tanto como a mí estar a la moda, encontrar la ropa adecuada para cada ocasión, combinar los colores y los complementos de la manera apropiada para brillar como una estrella, sígueme: te guiaré por mi showroom.

Aquí podrás encontrar todos los consejos y las sugerencias de estilo, maquillaje, combinaciones y de moda para ti y para tus amigas.

Seré tu estilista personal.

Conmigo entrarás en el mundo que siempre has soñado, y en poco tiempo te habrás convertido en una modelo amada e imitada por todas.

Sígueme...

¡Te convertiré en una top model!

Tu queridísima *Barbie*

Una
auténtica
top model
siempre sabe cómo vestirse,
cómo maquillarse,
cómo peinarse
y, sobre todo,
sabe sonreír
¡siempre!

TEST ¿sabes combinar colores?

La primera regla de la moda es saber encontrar las prendas adecuadas con los colores adecuados. Descubre conmigo si tienes talento para combinar colores.

A En un cielo azul lleno de pequeñas nubes blancas, lo primero en que te fijas es:

1 En el blanco de las nubes.
2 En el azul del cielo.
3 En todo el cielo en su conjunto.

B La mayoría de la ropa de tu armario es de color:

1 Blanco.
2 Rosa.
3 De todos los colores.

C Cuando haces un ramo de flores, prefieres:

1 Que todas las flores sean del mismo color.
2 Que las flores sean de 2, al máximo 3, colores diferentes.
3 Flores de todos los colores.

D El fondo de pantalla de tu móvil es:

1 De un solo color.
2 Tienes una foto de colores.
3 Cambias a menudo de fotos y colores.

E Cuando escribes en tu diario, usas:

1 Siempre el mismo bolígrafo.
2 Al menos dos bolígrafos de colores diferentes.
3 Todos los bolígrafos y colores que encuentras.

Resultado

Mayoría de respuestas **1**
Te gustaría cambiar más a menudo los colores de tu ropa pero no te atreves. Tienes miedo a equivocarte. ¡Con mis consejos lo harás genial!

Mayoría de respuestas **2**
Tienes muchas dudas cuando escoges un color, aunque al final siempre haces la elección apropiada. Puede que sólo debas ser más atrevida. Tengo unas "instrucciones" fantásticas para ofrecerte.

Mayoría de respuestas **3**
No hay un color que se te resista: para ti es una delicia unirlos y combinarlos continuamente. ¡Sólo debes tener cuidado de no pasarte! Tengo algunas ideas que te ayudarán a mejorar este don.

ESCOGE
tu estilo

Cada cual tiene sus gustos.
Pero a menudo te gustaría ser diferente y cambiar un poco. Escoge conmigo qué tipo de ropa prefieres y qué look te gustaría para vestir a diario.

UN POCO COUNTRY Y ROMÁNTICA

- Falda larga
- Camiseta cómoda
- Numerosas pulseras
- Pelo suelto
- Collares largos
- Motivos florales

INFORMAL CÓMODA Y DESENFADADA

- Zapatos bajos
- Tejanos o pantalones de fitness
- Sudadera ligera
- Mochila o bolsa de moda
- Pelo recogido

DISCO HIP-HOP Y CHISPEANTE

- *Mini vestido*
- *Leggins*
- *Sandalias altas*
- *Cinturón*
- *Pelo planchado*
- *Collares y pulseras*

ELEGANTE Y SEGURA

- *Chaqueta ligera*
- *Falda o pantalón por encima de la rodilla*
- *Zapatos altos y cerrados*
- *Pelo bien peinado o corto*
- *Bolso a conjunto*
- *Jersey de cuello de cisne*

SI ERES GUAPA TE MIRAN

10

SI ERES FASHION TE MIRAN

100

PRIMAVERA

Cuando el sol brilla y el aire está lleno de chispas, es hermoso salir por la ciudad y poner al descubierto piernas y brazos. Un buen momento para la ropa más corta, incluso sin leggins, para las minis de colores y los zapatos de cuña amarrados al tobillo, para las camisetas y las blusas ligeras. Las chaquetas cortas, ajustadas a la cintura, son las reinas de los vestidos en la ciudad.

No olvides un bolso y unos zapatos que vayan bien.

ligera como una mariposa

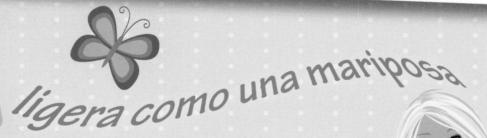

- La falda corta o el vestido corto deben tener colores solares.

- Los cinturones bajos. Mejor con colores vivos.

- Mejor los zapatos con cuña: son cómodos y modernos.

- Una pañoleta, por qué no, pero transparente como una pluma.

¡El sol es amigo de la moda y de los colores !

VERANO

¡Viva el verano!
Para un picnic con las amigas o para divertirte en la playa, escoge el look que más te guste. Los pantalones cortos son el plato fuerte que combina con todo. Las camisetas y los tops son irrenunciables así como los vestidos de playa. Con la estación más soleada, adiós a los zapatos cerrados, y luz verde a las sandalias fashion

Elegantísima bajo los rayos del sol

Para crear un look único... ¡los accesorios!

- Las faldas y los pantalones se llevan cortísimos: las piernas están en un primerísimo plano, ¡siempre!

- Los tops deben tener los colores del sol: ¡amarillo, naranja, rojo, lila, rosa!

- Las gafas de sol son imprescindibles. Son hermosísimas las que tienen el cristal grande y de colores. Si estás morena escoge las que tengan brillantes en las patillas.

- Cuidado: los pies también están muy a la vista y por ello hay que cuidarlos con más dedicación.

- Para las uñas van genial esmaltes de colores tenues: blanco y rosa perla.

- El bolso en verano es más grande para llevarlo todo e ir a la moda de la playa.

ESTACIÓN QUE SE VA, look que llega

Generalmente escogemos la ropa porque nos gusta. He aquí algunas ideas para tener una indumentaria de moda, pero adaptada a cada estación.

Look por capas

Ideal la sudadera: mejor con un bolsillo delantero y capucha. ¡Crea un look muy práctico tanto para la escuela como para el tiempo libre!

Los chalecos quedan bien si son cortísimos: ¡lo más ideal para las estaciones intermedias!

Para pasear por el centro es imprescindible llevar gafas trendy con lentes degradadas y una chaqueta fina.

Los tejanos son para cualquier estación, mejor lavados a la piedra y con un cinturón brillante y bajo.

OTOÑO

El otoño, como la primavera, es una de las estaciones más difíciles para la moda. A veces hace frío, a veces calor, llueve a menudo y en ocasiones sopla un fuerte viento. La regla en estos casos es: vestirse por capas. Así pues, sí a las faldas, sí a los pantalones, e incluso a las chaquetas, chalecos y botas. En otoño los colores se vuelven cálidos como hojas secas.

¿La moda para las faldas? ¡Siempre cortas!

14

INVIERNO

¿Hace frío?

Es el momento de una gran moda.
Jerseys cálidos y ligeros,
chaquetas acolchadas (aunque no
demasiado), pantalones de cintura
baja y bufandas suaves y
coloridas.

Con las bajas temperaturas no
hay que olvidarse del estilo.
De hecho es el momento más
oportuno para escoger colores y
combinaciones que transformen
el invierno en
una pasarela de
top model.

En invierno ponte Guapísima

Suave como un copo de nieve

Los jerseys deben ser de lana
gruesa. Luz verde a las nuevas
camisetas, cálidas pero ligeras,
para poner una sobre otra.

Los abrigos y las chaquetas no
son nunca demasiado acolchados

Para el look más deportivo
son perfectas las polainas y
las botas altas. Las bailarinas
le dan un toque elegante a los
tejanos.

¿Los guantes? ¡Suaves y a
todo color!

15+

TODO PARA TUS PIES

De fiesta

- sandalias
- zapatos elegantes
- abiertos

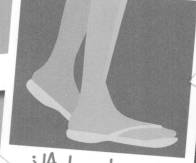

¿A la playa?

- sandalias ligeras
- zapatillas

Para la escuela

- bailarinas
- botas
- zapatillas deportivas a la altura del tobillo

Con las amigas

- bailarinas
- zapatos coloridos
- botas

¿QUÉ COLOR PEGA?

La bufanda debe quedar especialmente bien con el bolso.

¿Y el bolso?

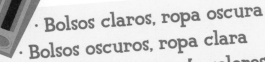

- Bolsos claros, ropa oscura
- Bolsos oscuros, ropa clara
- Bolsos fantasía, ropa de colores lisos
- Bolsos con brillantes, ropa de estilo romántico
- Bolsos grandes, ropa de verano
- Bolsos de mano, ropa de noche
- Monedero, ropa elegante
- Bolsos tejanos con múltiples combinaciones para un look deportivo.

16

LOS COLLARES

- Largos con vestidos cortos y camisetas lisas.
- Cortos con ropa informal y chaquetas abiertas.
- Brillantes con vestidos de un único color.
- Con colgantes para las camisetas.

LOS PENDIENTES

- Largos de noche
- Cortos de día
- Argollas si tienes el pelo largo
- Diferentes uno de otro si vas en tejanos

Espléndida
y brillante

LOS ANILLOS

LAS PULSERAS

LAS JOYAS SON COMO LAS FRESAS SOBRE UNA TARTA DE NATA MONTADA: ¡LA HACEN MUCHO MÁS HERMOSA!

- Muchos, si son pequeños
- Uno solo, si es grande y luminoso
- ¡Siempre coloridos!
- Incluso colgados de una cadena

· Grandes y de colores para el tiempo libre
· Con varios aros para resultar elegante
· Con cascabeles cuando vayas de compras
· Con flores cuando quedes con las amigas

Si te gusta tener muchas joyas y tenerlas siempre esplendorosas, no rocíes nunca tu perfume sobre ellas.

CINTURÓN

¡un gran complemento!

Grandes y lisos

Son los reyes de la moda de hoy. Se llevan bajos, y nunca demasiado ajustados.

Pequeños y brillantes

Totalmente "in" con tejanos y minifaldas. Quedan bien con todo de día y de noche.

Tiras lisas

Pegan con los vestidos cortos, los leggins y a veces con los pantalones de pitillo o los piratas.

Coloridos

Totalmente fashion. Con ellos se puede hacer de todo porque hacen más hermoso cualquier tipo de indumentaria.
Pruébalos con un pequeño vestido gris o blanco nata... ¡estarás fashion!

¿Y las bandoleras?

- Sustituyen los bolsos normales y de mano.
- Quedan bien si llevas un look casual y deportivo.
- ¡No los llenes demasiado si no quieres parecer un cartero!

Las gafas de sol

- Grandes, grandísimas con lentes de colores.
- Nunca de espejo.
- Con brillantes.

SECRETOS
de Top Model

Los leggins

- Seguro, incluso negros.
- Con encaje al final.
- Mejor a mitad del gemelo.

Las bufandas

- De colores vivos.
- Nunca estrechas alrededor del cuello.
- Puedes liarlas también al bolso.

Los guantes

· Lisos y de colores
· Para usar sólo al aire libre

Los zapatos

- Siempre brillantes.
- Nunca sucios de tierra o fango.

Ahora

vístete

Ahora te toca a ti encontrar los accesorios adecuados y eliminar los erróneos. ¡Ánimo! ¡Puedes conseguirlo!

Estás invitada a una elegante fiesta. ¿Qué te llevarás? Tres objetos de los que te presentamos aquí abajo son perfectos para la ocasión, y tres son erróneos. Escoge lo que consideres apropiado y descubre la solución al final de la página.

Comprueba tus respuestas con la ayuda de un espejo.

• Un bolso de mano elegante
• Zapatos de tacón
• Pendientes con brillantes

20

Hoy estás invitada al parque.
Un lugar informal, así pues
¿qué puedes ponerte?
Tres objetos de aquí abajo son perfectos para
la ocasión, y tres son erróneos.
Escoge lo que consideres apropiado y descubre
la solución al final de la página.

- Zomplero
- Camiseta
- Bailarinas

Comprueba tus
respuestas con la
ayuda de un espejo.

Ahora
vístete

Vas a pasear por la ciudad, ¿qué te vas a poner? Tres objetos de aquí abajo son perfectos para la ocasión, y tres son erróneos. Escoge lo que consideres apropiado y descubre la solución al final de la página.

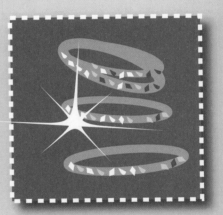

- Una chaqueta rosa
- Un par de tejanos cortos
- Un bolso rosa

22

¿Y cuál es el mejor look para ir a bailar?
Tres objetos de aquí abajo son perfectos para la ocasión, y tres son erróneos.
Escoge lo que consideres apropiado y descubre la solución al final de la página.

• Un cinturón con piedras brillantes
• Pasador brillante
• Pulsera con colgantes

¡VAYA!

¡no tengo nada que ponerme!

¿Cuántas veces has abierto el armario y con aire desesperanzado has pronunciado la horrible frase:

"¡No tengo nada que ponerme!"?

¡No te asustes! No es verdad...

¡Estoy segura de que no es así!

Te propongo combinaciones... seguro que te serán de ayuda.

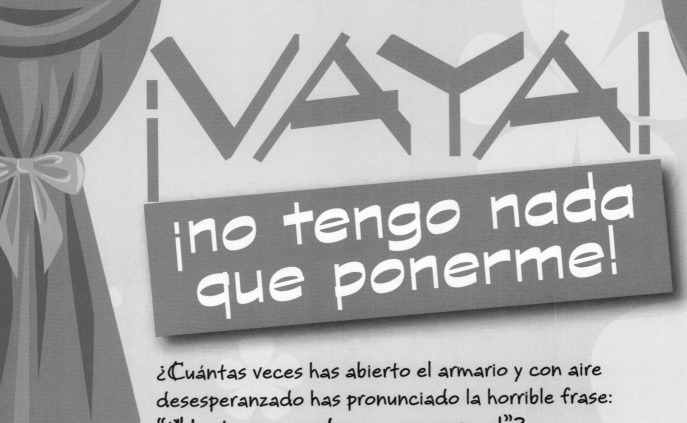

De compras

Para la playa

Look elegante

En la escuela

En el parque

Los zapatos, por altos o bajos que sean, deben combinar con el vestido. Con el rosa quedan bien los zapatos de color rosa, lila o negro. Con el azul quedan mejor los celestes, azules o color natural. Si vas a correr usa zapatillas deportivas altas hasta los tobillos, obviamente ¡combinadas con el color de tu ropa!
¡Para ir a la escuela son perfectas las bailarinas, elegantes y cómodas!

MAQUILLAJE
a tu medida

Para estar en lo más alto es necesario saber exaltar el rostro con los colores adecuados. Pero cuidado con el look de moda o el natural. Un toque de luz en los ojos, una barra de labios de color y ¡estarás perfecta!

OJOS EN PRIMER PLANO

Escoge tu tipo y utiliza la sombra adecuada.

Piel clara y pelirroja o rubio oscuro

- Utiliza azules perlados.
- Difumínalos con el blanco perla o con el dorado claro.

Piel oscura y cabellos oscuros

- Usa los rosas y los violetas.
- Difumínalos con el color bronce claro.

Piel clara y cabellos negros

- Usa el rosa y las glicinas.
- Difumínalos con los rosas claros perlados.

Piel clara y cabello rubio claro

- Utiliza los verdes y los colores tierra.
- Difumínalos con dorado y melocotón.

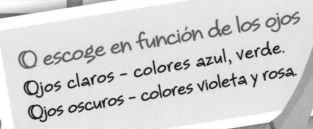

O escoge en función de los ojos
Ojos claros – colores azul, verde.
Ojos oscuros – colores violeta y rosa.

28

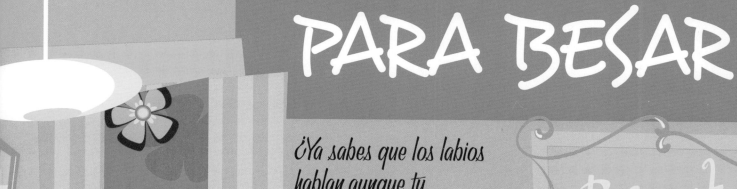

PARA BESAR

¿Ya sabes que los labios hablan aunque tú no digas nada? ¡Inténtalo y verás!

Busca tu estilo y escoge tu lápiz de labios

Eres dulce y sencilla
-Lápiz de labios rosa, brillante y transparente.

Eres fascinante y misteriosa
-Lápiz de labios rojo brillante
(con un poco de polvo dorado en el centro tendrás más glamour)

Eres deportista y dinámica
-Lápiz de labios natural, brillante y perfumado.

kiss kiss

Truco de top model
Para que tu lápiz de labios dure más, antes de ponerlo pasa por tus labios una fina capa de polvos.

para iluminar el rostro

Hace falta colorete.
Pero ¿cuál?
Y, sobre todo, ¿cómo se pone?

Apenas un toque, para resplandecer...

¿Tienes un tono de piel claro y el cabello claro o rubio? Tu colorete es el rosado.

¿Tienes un tono de piel oscuro y cabello oscuro? Tu colorete es el rosa oscuro.

Secretos de Top Model

Usa siempre una brocha muy gruesa, redonda y suavísima. Extiende el polvo desde el centro de la mejilla a la mitad de la oreja.

Los esmaltes de uñas son todos preciosos, de múltiples colores y ahora también con brillos.

Úsalos así:

UÑAS, ¡qué pasión!

Barbie

Barbie

De día	claros, rosas, perlados
De noche	brillantes con purpurina
De fiesta	de colores

Secretos de Top Model

Las florecillas de nail art se ponen sobre las uñas del dedo anular, y para fijarlas basta con pasar por encima esmalte transparente.

Si cuesta que el esmalte se seque, pon la mano en una taza de agua fría o usa el aire frío del secador.

¿Cómo me peino? ¿Me recojo el pelo?
¿Me lo corto? ¿Me lo rizo?
¿Cuántas veces te has hecho esta pregunta?
Si quieres la respuesta correcta sígueme y
encontrarás tu estilo de peinado

cortísimos

Para sentirse underground

Cortos, con un poco de gomina para disparar las puntas y levantar un poco la raya.

Para hacer deporte

Muy alborotados, para estar más fashion incluso cuando acabes de correr en el parque.

Cortar los rizos

El corte tipo chico es ideal para eliminar los rizos. El efecto es liso y libre.

Con la raya

Es un corte apropiado para los rostros ovalados. Es mejor hacer bien la raya para evitar el efecto peluca

Para bailar

Largos hasta debajo de las orejas, muy alborotados, y con algún toque de color.

Para estar cómoda

Alguna pasada con el cepillo para crear un efecto falso despeinado. La gomina sólo en las puntas.

Romantiquísima

Corte suave con algunas ondulaciones y muchas pinzas fashion.

Trendy

Corte geométrico, riguroso, gran raya lateral. ¡Con este look está prohibido despeinarse!

Romántica salvaje

Revueltos, con rizos suaves y oscuros.
Quedan genial sueltos, o recogidos con pinzas
u horquillas.

Encanto rubio

Largos, claros y sedosos. Necesitan un cepillado
enérgico. Se recogen en alto sobre la nuca, con
algún mechón travieso aquí y allí.

Como una muñeca

Claros y revueltos, mejor no pasarse de largo.
Utiliza la plancha de vez en cuando,
pero sin pasarte.

Misteriosa

Oscuros y lisos, quedan
bien con una raya al
lado, por ejemplo. Usa la
plancha siempre que
puedas.

34

¿Cómo me PEINO?

Con las trenzas

Si quedas con tus amigas o en tu tiempo libre

Suelto

Para cenar o para una cita al aire libre

Para una fiesta, o en verano

Recogidos

Con una cola

Cuando hagas deporte o vayas a la escuela

TEST

¡prueba tu estilo!

Hasta ahora te he dado consejos y sugerencias sobre la ropa, el maquillaje y el pelo. Pero, ¿sabrías hacer lo mismo con tus amigas del alma?

A   Cuando ves un hermoso vestido en un escaparate:
1   Sueñas con que sea tuyo.
2   Se lo aconsejas a una amiga.
3   Estás indecisa sobre probártelo o no.

B   Compras un lápiz de labios demasiado oscuro:
1   Lo utilizas igual.
2   Se lo regalas a una amiga.
3   Vas donde lo has comprado y lo cambias por otro.

C   Tu amiga tiene un vestido que le queda mal, ¿qué haces?
1   Haces como si nada.
2   Le aconsejas accesorios para mejorarlo.
3   Eres sincera y se lo dices.

D   Para los ojos verdes, ¿qué sombra aconsejarías?
1   Verde.
2   Bronce.
3   Azul.

36

E   Tu amiga tiene el pelo encrespado, ¿qué le aconsejas?
1   Que busque un peinado que le vaya bien.
2   Que se lo recoja.
3   Que utilice un champú para alisarlo.

F   Tienes las uñas mordidas, pero te quieres poner esmalte, ¿qué haces?
1   Utilizas un esmalte transparente.
2   Utilizas un esmalte muy claro.
3   Utilizas un esmalte muy oscuro.

G   Estás indecisa sobre qué vestido ponerte para una fiesta, ¿qué haces?
1   Le preguntas a tus amigas.
2   Te los pruebas todos y decides.
3   Lo echas a suerte.

Resultado

Mayoría de respuestas ①
Tienes buen gusto y lo demuestras, pero te sientes algo insegura. ¡Lánzate!

Mayoría de respuestas ②
Te gusta aconsejar a las amigas, y eres buena a la hora de adivinar sus gustos. Sigue así.

Mayoría de respuestas ③
Eres un poco atrevida, te gustan las ideas nuevas. Tienes un buen olfato para la moda futura.

Ha llegado el momento de comprobar

¡Encuentra el maquillaje y la ropa adecuada para cada tipo!

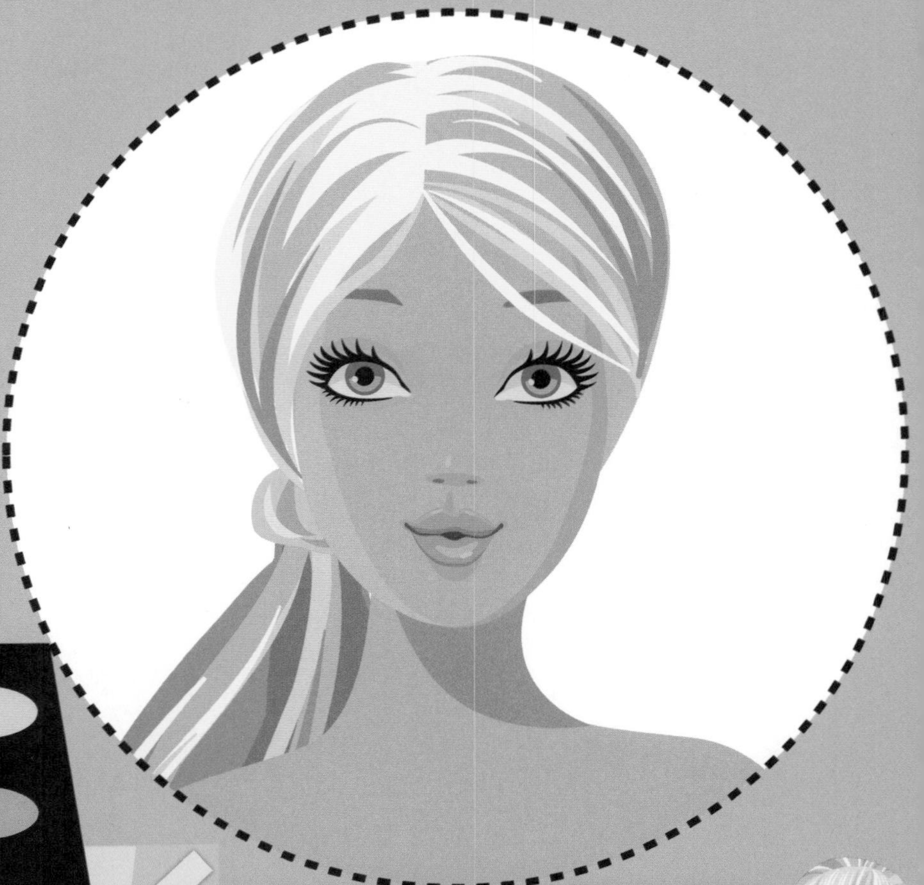

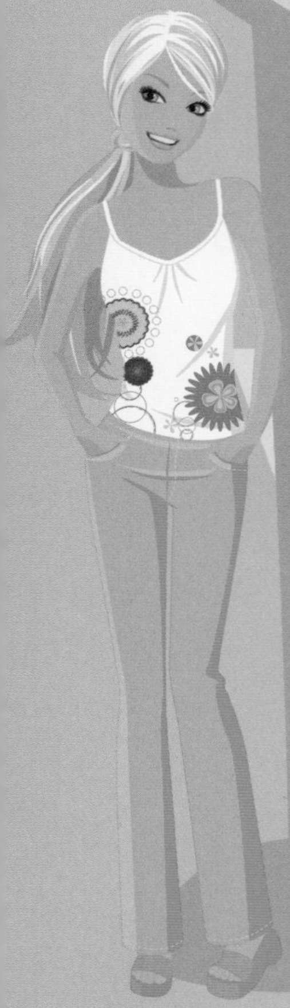

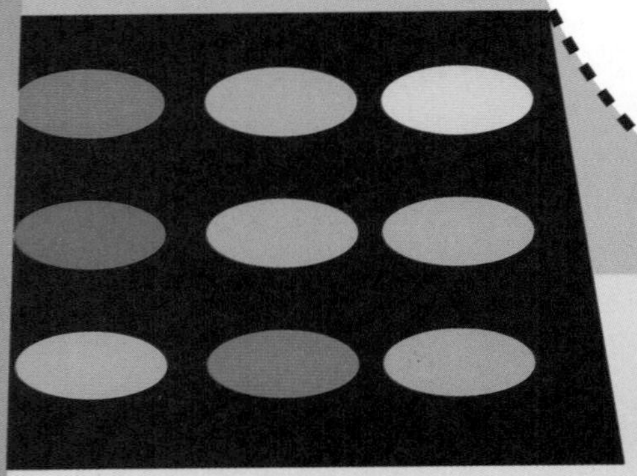

Rubia miel

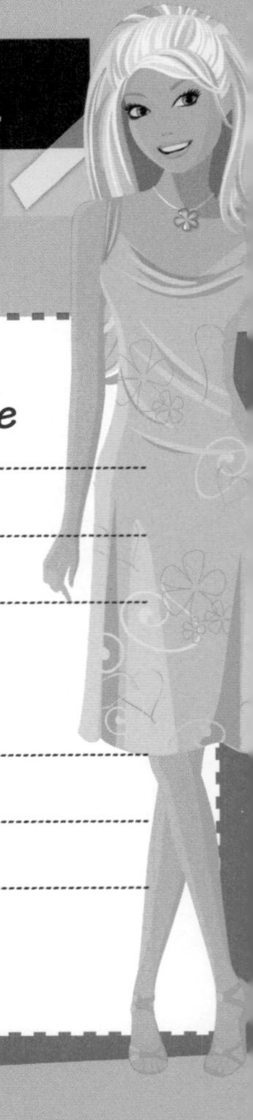

ESCOGE

Tres colores de barra de labios

Tres colores de colorete

Tres colores de sombra de ojos

Tres vestidos

Morena oscura

ESCOGE

Tres colores de barra de labios

....
....
....

Tres colores de colorete

....
....
....

Tres colores de sombra de ojos

....
....
....

Tres vestidos

....
....
....

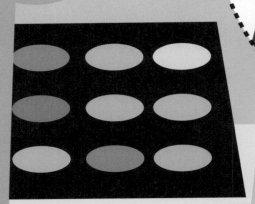

¡Encuentra el maquillaje y la ropa adecuada para cada tipo!

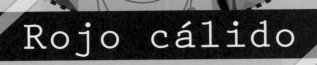

Rojo cálido

ESCOGE

Tres colores de barra de labios

....
....
....

Tres colores de colorete

....
....
....

Tres colores de sombra de ojos

....
....
....

Tres vestidos

....
....
....

¡**Busca** los accesorios para cada **look!**

43

¿de que color soy?

Todos tenemos un color favorito. Pero también hay un color secreto que es el que más se aproxima a tu carácter. Descúbrelo con este test. Escoge uno entre los tres objetos de cada línea, ¡después lee de qué color estás hecha!

1
A B C

2
A B C

3
A B C

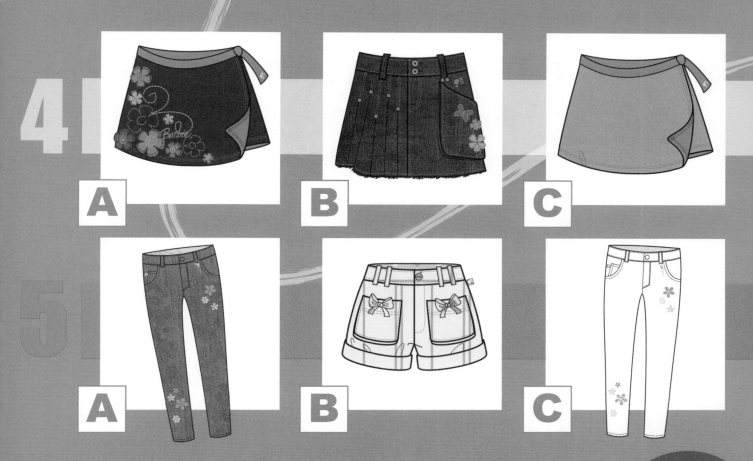

A

B

C

A

B

C

resultado

La mayoría de tus respuestas son A

Estás hecha de blanco, con suaves difuminados de rosa y celeste, como las pequeñas nubes de primavera.

La mayoría de tus respuestas son B

Eres rosa, con largas rayas de lila y verde, como el amanecer en una selva tropical.

La mayoría de tus respuestas son C

Eres celeste con grandes sombras violetas y rosas, como una tarde en la playa a la orilla del océano.

Felicidades

eres una

TOP MODEL

Sabes combinar colores

Tienes buen gusto

Sabes vestir   Eres creativa

Por todo esto, Barbie te hace entrega del diploma de

TOP MODEL
Barbie
fashion

46

47

... y aquí hay
un regalo
para ti...